Ali Baba et les Quarante Voleurs

Ali Baba *and the* Forty Thieves

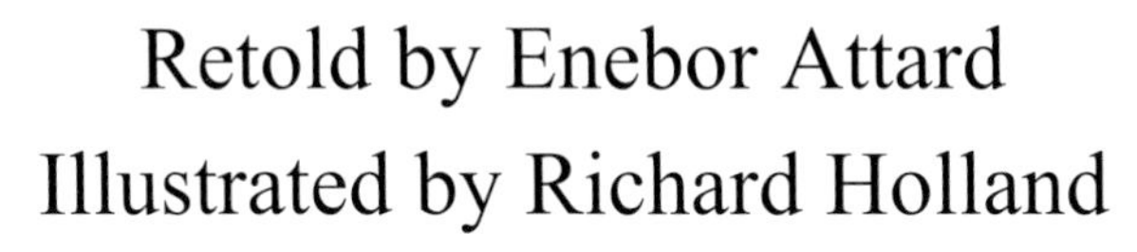

Retold by Enebor Attard
Illustrated by Richard Holland
French translation by Annie Arnold

Mantra Lingua

Il y a très longtemps en Arabie, en une nuit de pleine lune, Ali Baba remarqua quelque chose de très étrange pendant qu'il ramassait du bois. Un grondement de tonnerre est venu non pas du ciel mais des profondeurs de la terre.

A long time ago in Arabia, on a full moon night, Ali Baba noticed something very strange as he gathered firewood. A rumbling sound, like thunder, came not from the sky, but from below the earth.

Et, à la surprise d'Ali Baba un rocher gigantesque
roula sur lui-même, révélant une cave sombre.

And to Ali Baba's astonishment, a gigantic rock
rolled across on its very own, revealing a dark cave.

Le clair de lune projetait d’étranges ombres sur les rochers. Ali Baba a senti qu’il n’était pas seul. Il s’est approché doucement et il a presque trébuché sur un groupe de chevaux qui attendaient leurs cavaliers.
Ali Baba se cacha et ce ne fut pas long avant qu’un groupe de manteaux encapuchonnés, sortit de l’ombre de la cave et se dirigea vers lui.

The moonlight sent strange shadows across the rocks. Ali Baba felt he was not alone.
He crept closer and nearly fell upon a pack of horses waiting for their riders.
Ali Baba hid and it was not long before a bunch of shadowy cloaks and hoods came out of the cave towards him.

C'étaient des voleurs qui attendaient dehors, leur chef Ka-eed.
Quand Ka-eed apparut, il regarda vers les étoiles et s'écria, « Sésame ferme-toi ! »
L'énorme rocher s'ébranla et puis doucement roula, fermant l'entrée de la cave,
en cachant son secret du monde entier… sauf d'Ali Baba.

They were thieves waiting outside for Ka-eed, their leader.
When Ka-eed appeared, he looked towards the stars and howled out, "Close Sesame!"
The huge rock shook and then slowly rolled back, closing the mouth of the cave,
hiding its secret from the whole world... apart from Ali Baba.

Quand les hommes furent hors de vue, Ali Baba donna une forte poussée au rocher. Il était fermement coincé, comme si rien au monde ne pouvait le bouger.
« Sésame ouvre-toi ! » A murmuré Ali Baba.
Doucement le rocher a bougé révélant la cave profonde et sombre. Ali Baba essayait de marcher silencieusement mais chaque pas faisait un bruit creux qui résonnait partout.
Puis il a trébuché. Culbutant encore et encore, il atterrit sur une pile de tapis richement brodés de soie. Autour de lui se trouvaient des sacs de pièces d'or et d'argent, des récipients de diamants et d'émeraudes et d'énormes vases remplis encore de pièces d'or !

When the men were out of sight, Ali Baba gave the rock a mighty push.
It was firmly stuck, as if nothing in the world could ever move it.
"Open Sesame!" Ali Baba whispered.
Slowly the rock rolled away, revealing the dark deep cave. Ali Baba tried to move quietly but each footstep made a loud hollow sound that echoed everywhere.
Then he tripped. Tumbling over and over and over he landed on a pile of richly embroidered silk carpets. Around him were sacks of gold and silver coins, jars of diamond and emerald jewels, and huge vases filled with... even more gold coins!

« Est-ce que je rêve ? » se demanda Ali Baba. Il ramassa un collier de diamants et l'éclat lui fit mal aux yeux. Il le passa autour de son cou. Puis il en attacha un autre et encore un autre. Il remplit ses chaussettes de bijoux. Il bourra chaque poche avec tellement d'or qu'il pouvait à peine se traîner en dehors de la cave.
Une fois dehors, il se tourna et dit: « Sésame ferme-toi ! » et le rocher se referma.
Comme vous pouvez l'imaginer, Ali Baba mit longtemps pour rentrer chez lui.
Quand sa femme vit le fardeau elle pleura de joie. Maintenant il y avait assez d'argent pour une vie entière.

"Is this a dream?" wondered Ali Baba. He picked up a diamond necklace and the sparkle hurt his eyes. He put it around his neck. Then he clipped on another, and another. He filled his socks with jewels. He stuffed every pocket with so much gold that he could barely drag himself out of the cave.
Once outside, he turned and called, "Close Sesame!" and the rock shut tight.
As you can imagine Ali Baba took a long time to get home. When his wife saw the load she wept with joy. Now, there was enough money for a whole lifetime!

Le lendemain, Ali Baba raconta à son frère, Cassim ce qui était arrivé.
« Ne retourne pas dans cette cave, » prévint Cassim. « C’est trop dangereux. »
Est-ce que Cassim était inquiet pour la sécurité de son frère ? Non, non pas du tout.

The next day, Ali Baba told his brother, Cassim, what had happened.
“Stay away from that cave,” Cassim warned. “It is too dangerous.”
Was Cassim worried about his brother’s safety? No, not at all.

Cette nuit là, quand tout le monde fut endormi, Cassim se faufila hors du village avec trois ânes. A l'endroit magique, il appela « Sésame ouvre-toi ! » et le rocher s'est ouvert en roulant. Les deux premiers ânes ont pénétré à l'intérieur, mais le troisième a refusé d'avancer. Cassim tira et tira, fouetta et cria jusqu'à ce que la pauvre bête cède. Mais l'âne était tellement en colère qu'il donna un puissant coup contre le rocher et lentement le rocher se referma en grinçant.
« Viens stupide animal, » gronda Cassim.

That night, when everyone was asleep, Cassim slipped out of the village with three donkeys. At the magic spot he called, "Open Sesame!" and the rock rolled open.
The first two donkeys went in, but the third refused to budge. Cassim tugged and tugged, whipped and screamed until the poor beast gave in. But the donkey was so angry that it gave an almighty kick against the rock and slowly the rock crunched shut.
"Come on you stupid animal," growled Cassim.

A l'intérieur, un Cassim étonné regardait avec plaisir. Il remplit rapidement sac après sac, et les empila très haut sur les pauvres ânes. Lorsque Cassim ne put plus rien prendre, il décida de rentrer à la maison.
Il appela tout haut: « Noix ouvre-toi ! » Rien ne se passa.
« Amande ouvre-toi ! » il appela. Toujours rien.
« Pistache ouvre-toi ! » Toujours rien.
Cassim se désespérait. Il cria et jura en essayant tous les noms possibles, mais il ne pouvait pas se souvenir de « Sésame » !
Cassim et ses trois ânes étaient coincés.

Inside, an amazed Cassim gasped with pleasure. He quickly filled bag after bag, and piled them high on the poor donkeys. When Cassim couldn't grab any more, he decided to go home.
He called out aloud, "Open Cashewie!" Nothing happened.
"Open Almony!" he called. Again, nothing.
"Open Pistachi!" Still nothing.
Cassim became desperate. He screamed and cursed as he tried every way possible, but he just could not remember "Sesame"!
Cassim and his three donkeys were trapped.

Le lendemain matin, la belle-sœur d'Ali Baba, très contrariée, vint frapper à sa porte. « Cassim n'est pas rentré à la maison, » sanglota-t-elle. « Où est-il ? Oh, où est-il ? »
Ali Baba était atterré. Il chercha son frère partout, jusqu'à ce qu'il soit complètement épuisé. Où pouvait bien être Cassim ? Puis, il s'est souvenu. Il alla où était le rocher. Le corps sans vie de Cassim était allongé à l'extérieur de la cave. Les voleurs l'avaient trouvé en premier. « Cassim doit être enterré rapidement, » pensa Ali Baba, transportant le corps lourd de son frère, à la maison.

Next morning a very upset sister-in-law came knocking on Ali Baba's door. "Cassim has not come home," she sobbed. "Where is he? Oh, where is he?"
Ali Baba was shocked. He searched everywhere for his brother until he was completely exhausted. Where could Cassim be?
Then he remembered.
He went to the place where the rock was. Cassim's lifeless body lay outside the cave. The thieves had found him first.
"Cassim must be buried quickly," thought Ali Baba, carrying his brother's heavy body home.

Quand les voleurs sont revenus ils ne trouvèrent pas le corps. Peut-être des animaux sauvages avaient emporté Cassim. Mais qu'étaient ces empreintes ?
« Quelqu'un d'autre connaît notre secret, » s'écria Ka-eed, fou de colère.
« Lui aussi doit être tué ! »
Les voleurs ont suivi les empreintes, tout droit jusqu'au cortège funèbre qui déjà se dirigeait vers la maison d'Ali Baba.
« C'est ici, » pensa Ka-eed, marquant silencieusement la porte d'un cercle blanc.
« Je le tuerai ce soir, quand tout le monde dormira. »
Mais Ka-eed ne savait pas que quelqu'un l'avait vu.

When the thieves returned they could not find the body. Perhaps wild animals had carried Cassim away. But what were these footprints?
"Someone else knows of our secret," screamed Ka-eed, wild with anger.
"He too must be killed!"
The thieves followed the footprints straight to the funeral procession which was already heading towards Ali Baba's house.
"This must be it," thought Ka-eed, silently marking a white circle on the front door. "I'll kill him tonight, when everyone is asleep."
But Ka-eed was not to know that someone had seen him.

La servante, Morgianna, l'avait vu. Elle sentit, que cet homme étrange était mauvais. « Qu'est-ce que ce cercle veut dire ? » elle se demanda et attendit que Ka-eed s'en aille. Puis Morgianna a fait quelque chose de très intelligent. Prenant de la craie elle marqua chaque porte du village avec le même cercle blanc.

The servant girl, Morgianna, was watching him. She felt this strange man was evil. "Whatever could this circle mean?" she wondered and waited for Ka-eed to leave. Then Morgianna did something really clever. Fetching some chalk she marked every door in the village with the same white circle.

That night the thieves silently entered the village when everyone was fast asleep.
“Here is the house,” whispered one.
“No, here it is,” said another.
“What are you saying? It is here,” cried a third thief.
Ka-eed was confused. Something had gone terribly wrong, and he ordered his thieves to retreat.

Cette nuit là, les voleurs entrèrent silencieusement dans le village quand tout le monde dormait.
« Voici la maison, » a murmuré un voleur.
« Non, c'est ici, » a dit un autre.
« Qu'est-ce que vous dites ? C'est ici, » a crié un troisième voleur.
Ka-eed était troublé. Quelque chose n'était pas normale, et il commanda aux voleurs de se retirer.

Tôt le lendemain Ka-eed est revenu. Sa grande ombre est tombée sur la maison d'Ali Baba et Ka-eed sut que c'était le cercle qu'il ne pouvait pas trouver la veille. Il pensa à un plan. Il donnerait à Ali Baba quarante magnifiques vases peints. Mais à l'intérieur de chaque vase se tiendrait un voleur, avec son épée prête, en attente.
Plus tard dans la journée, Morgianna fut surprise de voir une caravane de chameaux, de chevaux et d'attelages s'arrêter devant la maison d'Ali Baba.

Early next morning Ka-eed came back.
His long shadow fell on Ali Baba's house and Ka-eed knew that *this* was the circle he could not find the night before. He thought of a plan. He would present Ali Baba with forty beautifully painted vases.
But inside each vase would be one thief, with his sword ready, waiting.
Later that day, Morgianna was surprised to see a caravan of camels, horses and carriages draw up in front of Ali Baba's house.

Un homme habillé d'une robe pourpre et d'un turban magnifique rendit visite à son maître.
« Ali Baba, » dit l'homme. « Tu es doué. Trouver et sauver ton frère des crocs d'animaux sauvages est vraiment un acte courageux. Tu dois être récompensé. Le Cheik, le noble de Kurgoostan, te donne quarante barriques de ses plus beaux joyaux. »
Vous avez probablement remarqué, qu'Ali Baba n'est pas très intelligent et il accepta le cadeau avec un grand sourire.
« Regarde, Morgianna, regarde ce que l'on vient de me donner, » dit-il.
Mais Morgianna n'était pas sûre. Elle sentit que quelque chose de terrible allait arriver.

A man in purple robes and magnificent turban called on her master.
"Ali Baba," the man said. "You are gifted. Finding and saving your brother from the fangs of wild animals is indeed a courageous act. You must be rewarded.
My sheikh, the noble of Kurgoostan, presents you with forty barrels of his most exquisite jewels."
You probably know by now that Ali Baba was not very clever and he accepted the gift with a wide grin.
"Look, Morgianna, look what I have been given," he said.
But Morgianna was not sure. She felt something terrible was going to happen.

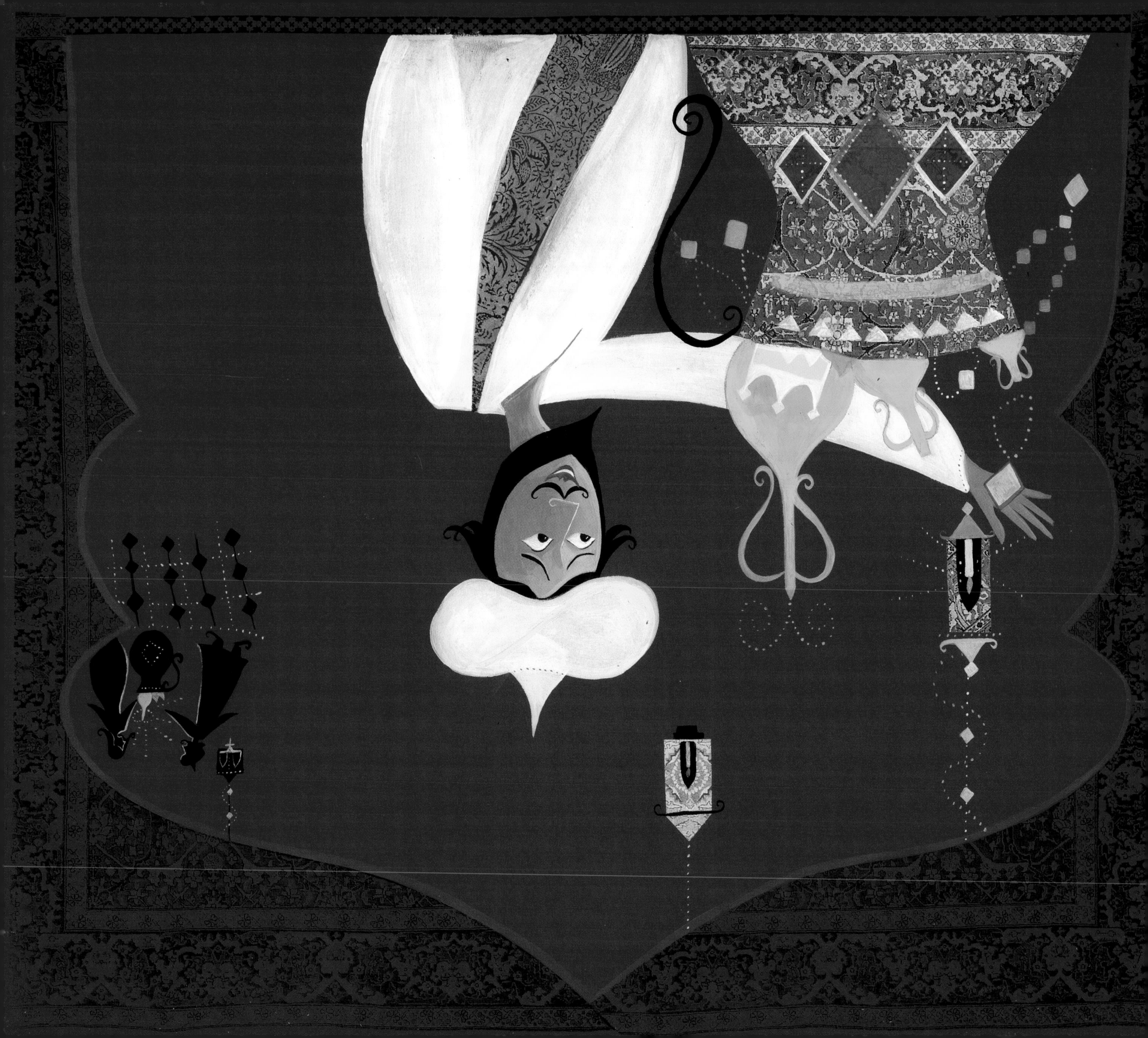

« Vite, » cria-t-elle, une fois que Ka-eed fut parti. « Fais-moi bouillir trois énormes chaudrons d'huile jusqu'à ce que la fumée s'en échappe. Vite, je dis, avant qu'il ne soit trop tard. J'expliquerai plus tard. »
Bientôt Ali Baba apporta l'huile bouillie, éclaboussant et crachant des flammes de mille charbons brûlants. Morgianna remplit un seau du liquide dangereux et le versa dans la première barrique, fermant le couvercle hermétiquement. Elle bougea violemment, la renversant presque. Puis elle s'immobilisa. Morgianna doucement ouvrit le couvercle et Ali Baba a vu un voleur bien mort !
Convaincu du complot, Ali Baba aida Morgianna à tuer tous les voleurs de la même façon.

"Quick," she called, after Ka-eed had left. "Boil me three camel-loads of oil until the smoke rises out of the pots. Quick, I say, before it is too late. I will explain later."
Soon Ali Baba brought the oil, spluttering and hissing from the flames of a thousand burning coals. Morgianna filled a bucket with the evil liquid and poured it into the first barrel, shutting the lid tight. It shook violently, nearly toppling over. Then it became still. Morgianna quietly opened the lid and Ali Baba saw one very dead robber!
Convinced of the plot, Ali Baba helped Morgianna kill all the robbers in the same way.

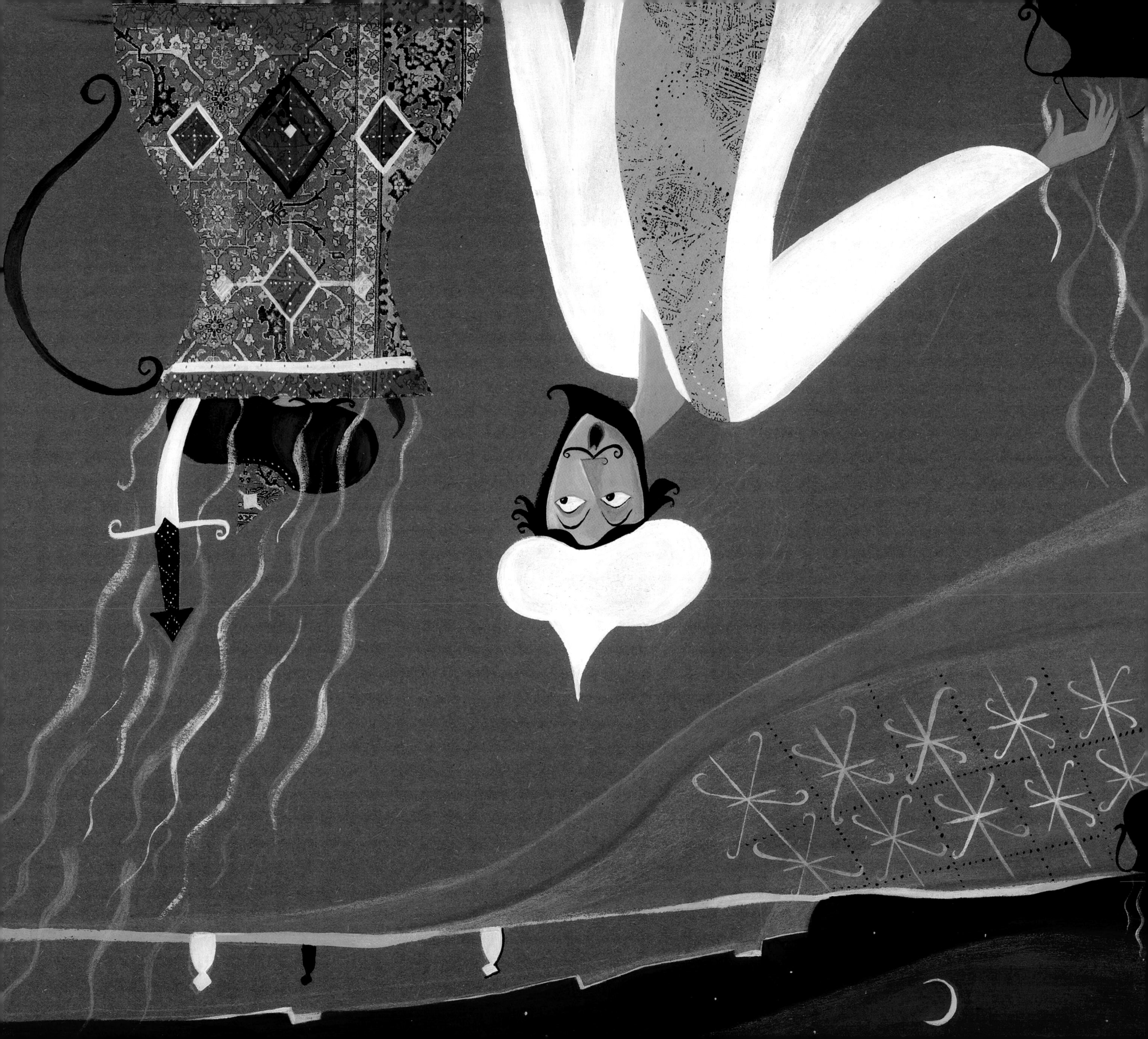

Ce soir là, Ka-eed arriva pour célébrer avec Ali Baba. Ils se sont goinfrés de viandes et de pains, cuits de merveilleuses façons. Ils ont bu le riche nectar de fruits somptueux.
Mais la vedette était Morgianna et sa danse ! Le pauvre Ka-eed n'avait aucune chance. Rotant, à cause de la nourriture trop riche, ses yeux tournaient et tournaient en regardant Morgianna qui tournoyait de plus en plus près.
Puis tout à coup, il a senti un poignard garni de diamants pénétré dans les profondeurs de son cœur.

That evening Ka-eed arrived to feast with Ali Baba.
They gorged on meats and breads cooked in wonderful ways.
They drank the rich nectar of sumptuous fruits. But the highlight was Morgianna's dance! Poor Ka-eed did not have a chance. Belching with the rich food, his eyes rolled round and round watching Morgianna spin closer and closer.
Then all of a sudden, he felt a diamond studded dagger plunge into the depths of his heart.

Le lendemain Ali Baba est retourné à l'endroit où était le rocher. Il vida la cave de ses pièces et bijoux secrets et il cria, « Sésame ferme-toi ! » pour la dernière fois.
Il donna tous les bijoux au peuple qui fit d'Ali Baba son chef.
Et Ali Baba fit de Morgianna sa conseillère.

The next day Ali Baba returned to the place where the rock was. He emptied the cave of its secret coins and jewels and he called out, "Close Sesame!" for the last time.
He gave all the jewels to the people, who made Ali Baba their leader.
And Ali Baba made Morgianna his chief adviser.

First published in 2005 by Mantra Lingua
Global House, 303 Ballards Lane
London N12 8NP
www.mantralingua.com

A CIP record for this book is available from the British Library.

A long time ago in Arabia, on the night of the full moon, Ali Baba noticed something very strange as he gathered firewood. A rumbling sound, like thunder, came not from the sky but from beneath the earth...
Richard Holland's imaginative use of collage captures the essence of this classic tale.
Ali Baba and the Forty Thieves is available in 28 dual language editions: English with Albanian, Arabic, Bengali, Bulgarian, Chinese, Croatian, Farsi, French, German, Greek, Gujarati, Hindi, Italian, Kurdish, Panjabi, Polish, Portuguese, Romanian, Russian, Simplified Chinese, Shona, Somali, Spanish, Swahili, Tamil, Turkish, Urdu or Vietnamese.
French & English
isbn 1 84444 408 2
Mantra Lingua

French/English

Le Joueur De Flûte D'Hameln

The Pied Piper

Henriette Barkow
Roland Dry